2 ¿Qué hiciste? (pages 10–11)

1 Write the captions for the holiday photos.

Compré una camiseta. **Bailé en la fiesta** **Visité monumentos.** **Manc**

1 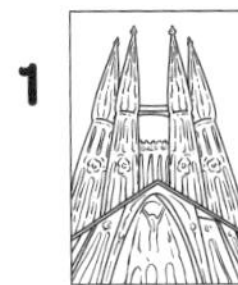 ....

2 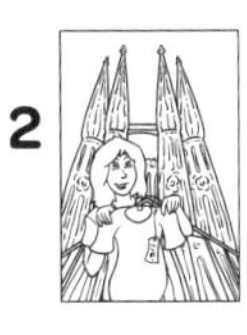 ....

3  ....

4  ....

5  ....

2 Find the words and phrases for the following in the text below.

1 last summer ....
2 on holiday ....
3 a village on the coast ....
4 on the first day ....
5 in the morning ....
6 I swam in the pool ....
7 later I went cycling ....
8 I took lots of photos ....

El verano pasado fui de vacaciones a Mallorca con mi instituto. Fuimos a un pueblo en la costa. Fue genial. El primer día fui a la playa por la mañana. Tomé el sol, pero no nadé en el mar. Después descansé en el hotel y nadé en la piscina. ¡Qué bien! Más tarde monté en bicicleta, visité el pueblo y saqué muchas fotos, pero no compré nada.

3 On a separate piece of paper, write a paragraph about a holiday to Spain. Include the details given in the box below.

when:	last summer
where:	Barcelona
who with:	school
morning of the first day:	visited places of interest, took lots of photos
afterwards:	went to the beach, relaxed, swam in the sea
later:	bought a T-shirt

Add detail and interest to your writing by including sequencers, such as:

el primer día...	the first day
luego...	then
más tarde...	later
después...	afterwards

¡3! El último día (pages 12–13)

1 Complete the sentences with the correct word from the box.

bebí	comí	compré	conocí	salí

El último día de las vacaciones…

1 Por la mañana .... con mi familia y fuimos de compras.
2 No .... nada, pero mi hermano compró una camiseta.
3 Después .... una limonada en una cafetería.
4 Fuimos a un restaurante y .... paella. ¡Qué rica!
5 Por la tarde fui a la playa y .... a una chica simpática.

Remember to use the correct verb endings for **-ar**, **-er** and **-ir** verbs in the preterite (past tense).

2 Look at the pictures. Then read the texts and circle the correct options.

a

El último día de mis vacaciones en México **(1) salí con mi familia/salí con mi hermana**. Por la mañana **(2) vimos animales/vimos monumentos**. ¡Qué interesante! Por la tarde fui a la playa y **(3) bebí una limonada/bebí un batido de chocolate**. Más tarde **(4) escribí SMS/compré un sombrero**.

b

El último día de mis vacaciones en España fui a Barcelona. Por la mañana **(1) vi la televisión/vi muchos monumentos**. Después **(2) compré una camiseta/bebí un batido**. Luego **(3) comí paella/saqué fotos**. Por la tarde **(4) descansé en la playa/salí a bailar**. ¡Qué bien!

3 Imagine you did the following things on the last day of your holiday. On a separate piece of paper, write a sentence for each picture.

Por la mañana

Por la tarde

¡4! ¿Cómo te fue? (pages 14–15)

1 Look at the illustrations and complete the opinions.

1  Fue g__ __y.

2  Fue r__r__.

3  Fue r__g__l__r.

4  Fue h__rr__bl__.

5 Fue d__v__rt__do.

6  Fue g__n__ __l.

7  Fue un d__s__str__.

8  Fue h__rr__r__so.

9  Fue fl__p__nt__.

2 Read the sentences. Then write the underlined phrases in the correct column below.

1 Fui de vacaciones a Cornualles y ~~fue genial~~ porque hizo buen tiempo.

2 El primer día de mis vacaciones en Grecia fue horrible porque perdí el pasaporte.

3 El viaje a Italia fue horroroso porque fue muy largo y muy aburrido.

4 El último día de mis vacaciones en Alicante fue divertido porque salí a bailar con mis amigas.

5 El verano pasado fui de vacaciones a Escocia y fue un desastre porque llovió mucho.

6 Fui de vacaciones a Ibiza con mi familia y fue guay porque conocí a dos chicos simpáticos en el camping.

(thumbs up)	(thumbs down)
fue genial	....
....	....
....	....

3 Write the following sentences in Spanish.

1 Last summer I went on holiday to Scotland.

....

2 On the first day of my holiday it rained a lot.

....

3 The journey was terrible because it was long and boring.

....

4 I met two friendly boys at the campsite. It was cool!

....

5 On the last day of my holiday the weather was good.

....

1 **Unjumble the words in each sentence and then write the sentences to complete the conversations below.**

en fui avión

Tenerife a fui

llovió mucho porque

familia mi fui con

playa, a la pero nadé no en el mar fui

un desastre fue

1 ¿Adónde fuiste de vacaciones? ....

2 ¿Con quién fuiste? ....

3 ¿Cómo fuiste? ....

4 ¿Qué hiciste? ....

5 ¿Cómo te fue? ....

6 ¿Por qué? ....

2 **Read the note from Jorge and complete the grid in Spanish. Then write a similar paragraph for Alicia.**

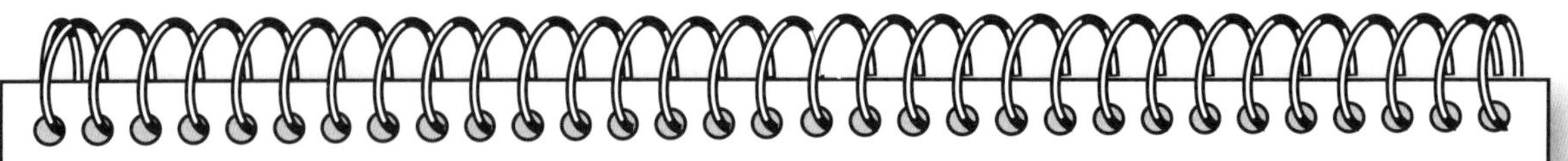

El verano pasado fui de vacaciones a Francia. Fui con mi clase. Fuimos en autocar. Monté en bicicleta, fui a la playa y nadé en el mar. Fue divertido.

	¿Cuándo?	¿Adónde?	¿Con quién?	¿Cómo?	¿Qué hiciste?	¿Cómo fue?
Jorge						
Alicia	el año pasado	a Madrid	con mis padres	en avión	visité monumentos, saqué fotos	genial

....

....

....

....

....

1 Write the sentences under the appropriate headings.

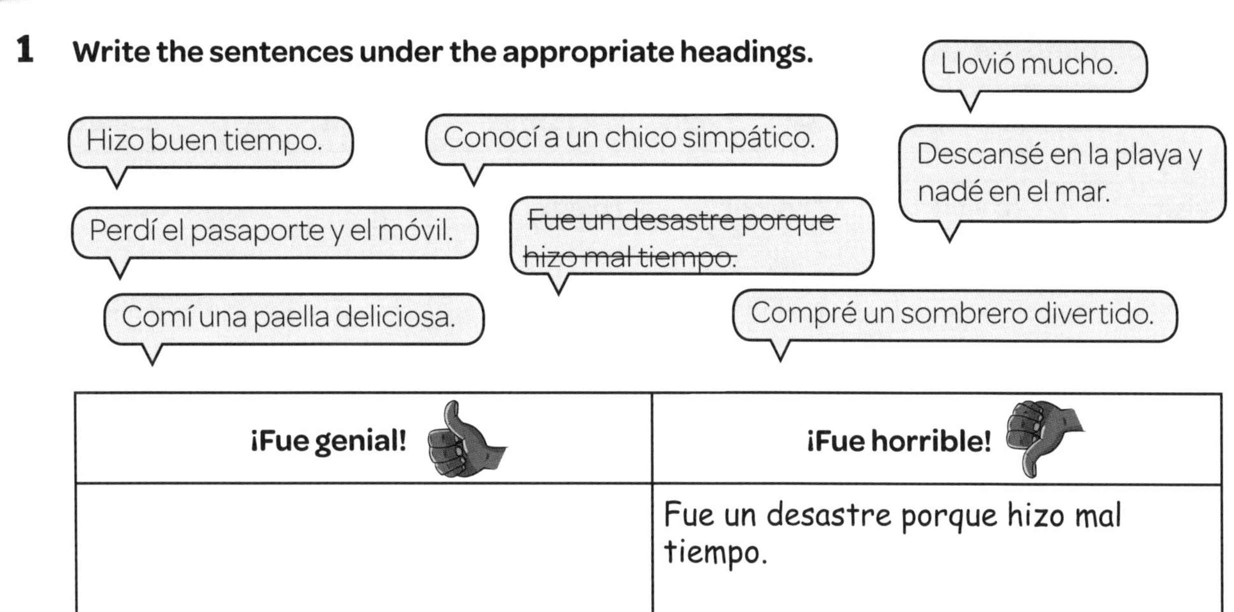

¡Fue genial!	¡Fue horrible!
	Fue un desastre porque hizo mal tiempo.

2 Read Julia's description of a trip she went on. Then answer the questions.

El verano pasado no fui de vacaciones con mi familia, pero en octubre fui de viaje con mi clase. Fuimos en tren. El primer día visitamos la Costa Brava, pero no nadé en el mar porque no hizo buen tiempo. Mandé SMS a mis padres y a mis amigos. Otro día fuimos a Barcelona en autocar. Por la mañana vi muchos monumentos interesantes y después visité el estadio del FC Barcelona. Compré una camiseta y saqué muchas fotos. ¡Fue flipante! Por la tarde comí tortilla en un restaurante en la playa. ¡Qué guay! **Julia**

1 When did Julia go away last year? ....

2 Was it a family holiday or a school trip? ....

3 Where did she go on the first day? ....

4 Did she go swimming at the beach? Why/Why not? ....

5 Where did she go on the second day trip? ....

6 Which of the day trips did she enjoy most? How do you know? ....

3 On a separate piece of paper, translate the sentences into English.

1 El verano pasado fui de vacaciones a Escocia con mi familia.

2 El primer día fuimos a la costa, pero no hizo buen tiempo.

3 Monté en bicicleta, pero no nadé en el mar.

4 El último día saqué fotos y compré una camiseta.

5 Fue divertido porque vi muchos monumentos interesantes.

1 Complete the verb table using the words from the box.

salimos comí salí comió visitamos salieron visité saliste

visitar	***to visit***	**comer**	***to eat***	**salir**	***to go out***
....	*I visited*	....	*I ate*	....	*I went out*
visitaste	*you visited*	comiste	*you ate*	....	*you went out*
visitó	*he, she visited*	....	*he, she ate*	salió	*he, she went out*
....	*we visited*	comimos	*we ate*	....	*we went out*
visitasteis	*you (pl) visited*	comisteis	*you (pl) ate*	salisteis	*you (pl) went out*
visitaron	*they visited*	comieron	*the ate*	....	*they went out*

2 Read the text and find the Spanish for the English expressions below.

El verano pasado fui de vacaciones a Alicante con mi familia. El primer día mis padres visitaron monumentos y después descansaron en la playa. Mi hermana y yo montamos en bicicleta. Un día mi hermana salió en barco con mis padres y yo nadé en el mar. Otro día mi hermana conoció a unas chicas simpáticas y todas salieron a bailar. El último día comimos paella. ¡Qué guay!

1 they visited monuments ....

2 they relaxed ....

3 we went cycling ....

4 she went out in a boat ....

5 I swam in the sea ....

6 she met ....

7 they went out ....

8 we ate ....

3 On a separate piece of paper, write the following sentences in Spanish.

1 Last year I went on holiday to Barcelona with my family.

2 On the first day we visited monuments.

3 Afterwards we relaxed on the beach.

4 Another day my parents went out in a boat.

5 On the last day I swam in the sea and I ate paella. Cool!

Learn complete phrases. It helps you to write more easily in Spanish. It also helps to make sure you use the correct prepositions. For example, notice that in Spanish you say:

Fui *de* vacaciones.
I went *on* holiday. (NOT ~~**en vacaciones**~~)

Fui *en* tren.
I went *by* train. (NOT ~~***por* tren**~~)

1 Record your levels for Module 1.

2 Look at the level descriptors on pages 56–57 and set your targets for Module 2.

3 Fill in what you need to do to achieve these targets.

Listening	I have reached Level _____ in **Listening**. In Module 2, I want to reach Level _____. I need to ______________________________ ______________________________ ______________________________ ______________________________
Speaking ¡Hola!	I have reached Level _____ in **Speaking**. In Module 2, I want to reach Level _____. I need to ______________________________ ______________________________ ______________________________ ______________________________
Reading	I have reached Level _____ in **Reading**. In Module 2, I want to reach Level _____. I need to ______________________________ ______________________________ ______________________________ ______________________________
Writing	I have reached Level _____ in **Writing**. In Module 2, I want to reach Level _____. I need to ______________________________ ______________________________ ______________________________ ______________________________

De vacaciones — On holiday

¿Adónde fuiste de vacaciones?	Where did you go on holiday?
el año pasado	last year
el verano pasado	last summer
Fui a...	I went to...
Escocia	Scotland
España	Spain
Francia	France
Gales	Wales
Grecia	Greece
Inglaterra	England
Irlanda	Ireland
Italia	Italy
¿Con quién fuiste?	Who did you go with?
Fui con...	I went with...
mis amigos/as	my friends
mi clase	my class
mi familia	my family
mis padres	my parents
¿Cómo fuiste?	How did you get there?
Fui/Fuimos en...	I/We went by...
autocar	coach
avión	plane
barco	boat/ferry
coche	car
tren	train
No fui de vacaciones.	I didn't go on holiday.

Exclamaciones — Exclamations

¡Qué bien!	How great!
¡Qué bonito!	How nice!
¡Qué divertido!	What fun!/How funny!
¡Qué guay!	How cool!
¡Qué rico!	How tasty!
¡Qué suerte!	What luck!/How lucky!
¡Qué aburrido!	How boring!
¡Qué horror!	How dreadful!
Qué lástima!	What a shame!
¡Qué mal!	How bad!
¡Qué rollo!	How annoying!

¿Qué hiciste? — What did you do?

¿Qué hiciste en tus vacaciones de verano?	What did you do on your summer holiday?
Bailé.	I danced.
Compré una camiseta.	I bought a T-shirt.
Descansé en la playa.	I relaxed on the beach.
Mandé SMS.	I sent texts.
Monté en bicicleta.	I rode my bike.
Nadé en el mar.	I swam in the sea.
Saqué fotos.	I took photos.
Tomé el sol.	I sunbathed.
Visité monumentos.	I visited monuments.
No nadé en el mar.	I didn't swim in the sea.
El último día de tus vacaciones, ¿qué hiciste?	What did you do on the last day of your holiday?
Bebí una limonada.	I drank a lemonade.
Comí paella.	I ate paella.
Conocí a un chico/a guapo/a.	I met a cute boy/girl.
Escribí SMS.	I wrote texts.
Salí con mi hermano/a.	I went out with my brother/sister.
Vi un castillo interesante.	I saw an interesting castle.

¿Cuándo? — When?

luego	then
más tarde	later
después	afterwards
el primer día	on the first day
el último día	on the last day
otro día	another day
por la mañana	in the morning
por la tarde	in the afternoon

¿Cómo te fue? How was it?

Fue divertido.	It was fun/funny.
Fue estupendo.	It was brilliant
Fue fenomenal.	It was fantastic.
Fue flipante.	It was awesome.
Fue genial.	It was great.
Fue guay.	It was cool.
Fue regular.	It was OK.
Fue un desastre.	It was a disaster.
Fue horrible.	It was horrible.
Fue horroroso.	It was terrible.
Fue raro.	It was weird.
Me gustó.	I liked (it).
Me encantó.	I loved (it).
¿Por qué?	Why?
porque	because
Hizo buen tiempo.	The weather was good.
Comí algo malo y vomité.	I ate something bad and I was sick.
Llovió.	It rained.
Perdí mi pasaporte/ mi móvil.	I lost my passport/ my mobile.

Palabras muy frecuentes High-frequency words

a/al/a la	to (the)
en	by (car, train etc.)
con	with
mi/mis	my
¿Cómo...?	How...?
¿Dónde...?	Where...?
¿Adónde...?	Where... to?
¡Qué...!	How...!
además	also, in addition
pero	but

Mi vida, mi móvil (pages 30–31)

1 Use words from both circles to write a caption for each picture.

1 Chateo con mis amigos.
2 ....
3 ....
4 ....
5 ....

~~Chateo~~
Descargo
Leo
Mando
Saco

mis SMS
~~con mis amigos~~
melodías o aplicaciones
fotos
SMS

2 Read the sentences and find the Spanish for the English words below.

Mis amigos y yo a veces compartimos vídeos y fotos.

Leo los SMS de mis amigos todos los días.

Mis padres nunca mandan SMS.

Descargo melodías o aplicaciones de vez en cuando.

Veo vídeos o películas dos o tres veces a la semana.

1 I read Leo
2 they send ....
3 I download ....
4 we share ....
5 I watch ....
6 sometimes ....
7 never ....
8 every day ....
9 two or three times a week ....
10 from time to time ....

3 Write four sentences in Spanish to say what you use your mobile for. Use the sentences in Exercises 1 and 2 to help you.

1 ....
2 ....
3 ....
4 ....

¿Qué tipo de música te gusta? (pages 32–33)

1 Write the words in each sentence in the correct order.

1 todo Escucho de Escucho de todo.
2 el gusta Me rap ....
3 gusta No me música la electrónica ....
4 rock A escucho veces ....
5 grupo One Direction es favorito Mi ....
6 Mi es Rihanna favorita cantante ....
7 las letra encanta Me la de canciones ....
8 canción es 'Diamonds' Mi favorita ....

2 Complete the conversation by matching the answers to the questions.

1 ¿Qué tipo de música escuchas? ☐
2 ¿Qué tipo de música te gusta? ☐
3 ¿Qué tipo de música no te gusta? ☐
4 ¿Por qué? ☐
5 ¿Te gusta la música de Bruno Mars? ☐

a Sí, me encanta. Es mi cantante favorito.
b Escucho de todo.
c Me gusta el rock y me encanta el R'n'B.
d No me gusta la música electrónica.
e Porque es muy aburrida.

SKILLS

Express opinions by using:
Me gusta I like **No me gusta** I don't like
Give a reason to explain your opinion:
Mi cantante favorito es Bruno Mars porque me gusta la letra.
My favourite singer is Bruno Mars because I like the lyrics.

3 Read the opinions about music. Then answer the questions with the correct name.

Me encanta la música de Pablo Alborán. Es mi cantante favorito. Mi canción favorita es 'Vuelvo a verte' porque me encanta la melodía. No me gusta la música electrónica y nunca escucho jazz. **Lucía**

Me encanta la música y escucho de todo, pero no me gusta mucho el rap. Mi canción favorita es 'Ho Hey' del grupo americano The Lumineers porque me gusta el ritmo de la canción. **Carlos**

Escucho rap, jazz y R'n'B. También me gusta el rock. Me gusta la música de Bruno Mars y también me gusta la música de Rihanna. Son cantantes geniales. **Mariana**

Who...

1 listens to all kinds of music? ....
2 likes a song because it has a good tune? ....
3 doesn't like rap much? ....
4 likes a song because of its rhythm? ....
5 likes rock music? ....
6 never listens to jazz? ....
7 mentions two singers? ....

Me gustan las comedias (pages 34–35)

1 Complete the sentences with the correct words.

más divertidas que los realitys	**aburridos**	**que el telediario**
~~**emocionantes**~~	**tontas**	

1 Me gustan las series policíacas porque son emocionantes.
2 No me gustan los concursos porque son ....
3 No me gustan las telenovelas porque son ....
4 En mi opinión las comedias son ....
5 Los documentales son más interesantes ....

2 Look at the table and then decide who is talking in each sentence.

Maya				✓			×	✓
Ferrán		✓	×		✓			
Sara	✓		✓					×
Mateo				✓		✓		
Vanesa						×	✓	
Juan		✓			×			✓

1 Me gustan los documentales de naturaleza y las series policíacas. Mateo
2 Me gustan los programas de música y los concursos. ....
3 No me gustan nada las comedias. Me gustan los programas de deportes y el telediario. ....
4 Veo el telediario y los documentales. No me gustan las telenovelas. ....
5 Me gustan los programas de deportes y las comedias, pero no me gustan los concursos. ....
6 Me gustan las telenovelas, pero no me gustan las series policíacas. ....

3 On a separate piece of paper, write your own answers to the following questions.

1 ¿Qué tipo de programas te gustan?
2 ¿Qué programas no te gustan? ¿Por qué?
3 ¿Te gustan los realitys? ¿Por qué?/¿Por qué no?
4 Los programas de deportes son más interesantes que los programas de música. ¿Estás de acuerdo? ¿Por qué?

4 ¿Qué hiciste ayer? (pages 36–37)

1 Read the text. Number the pictures in the order the activities are mentioned.

Ayer por la mañana hice gimnasia. Luego monté en bici y fui al parque. Por la tarde jugué en línea y un poco más tarde hablé con mis amigos y fuimos al cine. Vi una película divertida. Fue genial.

SKILLS Time expressions help you to understand the order in which things happen.

a  

c  

e  

b 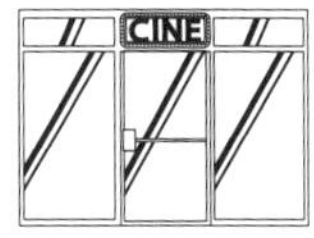

d  

f  ☐

2 Find the Spanish for these English expressions in the text in Exercise 1.

1 yesterday morning ....
2 then ....
3 in the afternoon ....
4 later ....
5 I did gym ....
6 I rode my bike ....
7 I went to the park ....
8 I spoke to my friends ....
9 we went to the cinema ....
10 I saw a film ....
11 it was great ....

3 On a separate piece of paper, write a text like the one in Exercise 1

- Use the expressions 1–4 from Exercise 2.
- Use the expressions from the box in any order.
- Finish with expression 11 from Exercise 2.

hice mis deberes	**jugué al hockey**
hice kárate	**salí con mis amigos**
monté a caballo	**fui/fuimos a la playa**
hablé con mi abuela	

Mi guía (pages 38–39)

1 Read the television listing below and find the Spanish for the following English words.

1 adventures ....
2 family ....
3 dictionary ....
4 investigate ....
5 news ....

SKILLS

When reading an authentic text:
- Don't panic when you see words you don't know.
- First look for words you do know.
- Look for words that are similar to English. These are called 'cognates'.
- Look at the context in which the words appear. This can sometimes help you guess the meaning.

Canal Once

16.00 *Los Simpson.* Dibujos animados. Las aventuras de Bart Simpson y su familia.
17.00 *Telediario.* Las noticias de hoy presentadas por Roberto Arce y Mónica Sanz.
17.45 *El tiempo.*
18.00 *Amores verdaderos.* Telenovela.
19.00 *Pasapalabra.* Concurso en el que es importante conocer bien el diccionario español.
19.30 *Deportes.* Todas las noticias deportivas.
21.00 *Gran hermano.* Reality.
21.30 *CSI: Miami.* Serie policíaca. Walter y Calleigh investigan un doble asesinato.

2 Look at the television listing in Exercise 1 again. At what time can you see the following kinds of programmes?

1 a soap opera ....
2 the news ....
3 a sports programme ....
4 a game show ....
5 a crime series ....

3 Read the television listing again. Then choose the correct answer for each question.

1 What are 'dibujos animados'?
- a a film ☐
- b a cartoon ☐
- c a programme about art ☐

2 Who are Roberto Arce and Mónica Sanz?
- a contestants in a reality show ☐
- b actors in a soap opera ☐
- c newsreaders ☐

3 What skills do you need to take part in the game show at 7 p.m.?
- a good general knowledge ☐
- b a wide vocabulary in Spanish ☐
- c good cooking skills ☐

4 What kind of crime is featured in *CSI Miami*?
- a two murders ☐
- b a robbery ☐
- c a driving offence ☐

1 **Read the texts. Then complete the table in English with what Anaya and Pablo use their mobiles for.**

Anaya

¿Qué hago con mi móvil? Mando SMS a mis amigos todos los días. De vez en cuando descargo melodías o aplicaciones. También saco fotos a veces y comparto mis vídeos favoritos con mis amigos. Nunca hablo por Skype.

A veces mando SMS, pero nunca chateo con mis amigos con el móvil. Saco muchas fotos, saco fotos todos los días. A veces descargo aplicaciones o melodías. Veo vídeos o películas a veces, y de vez en cuando juego con el móvil.

Pablo

	Every day	Sometimes/From time to time	Never
Anaya	sends texts		
Pablo			

2 **Complete the sentences with *el, la, los* or *las*.**

1 Me gusta .... música clásica.
2 Me gustan .... programas de música.
3 Me gusta .... música de Emeli Sandé.
4 En mi opinión, ... letra de las canciones es muy buena.
5 Mi canción favorita es 'Heaven' porque me gusta mucho .... melodía.
6 No me gustan .... telenovelas.
7 Creo que los documentales son más informativos que .... telediario.
8 También me gustan .... series policíacas.

SKILLS

El, la, los or las
Learning complete phrases helps you to use the words for 'the' correctly:
Me gustan *el* rock y *el* rap.
No me gustan *las* telenovelas.

3 **Your exchange school in Spain has asked you the following questions. On a separate piece of paper, translate the answers into Spanish.**

1 ¿Qué haces con tu móvil? I send texts and I take photos.
2 ¿Qué tipo de música escuchas? I listen to all kinds of music.
3 ¿Qué tipo de música te gusta? I like rap and rock.
4 ¿Quién es tu cantante favorito? My favourite singer is Bruno Mars.
5 ¿Qué tipo de programas te gustan? I like sports programmes and I like documentaries.

1 **Circle the correct form of the adjectives to complete the sentences.**

1 Las noticias deportivas son más **emocionante/emocionantes** que los concursos.
2 Las series policíacas son más **aburridos/aburridas** que los dibujos animados.
3 Las películas son más **interesante/interesantes** que el telediario.
4 Las telenovelas son más **divertidos/divertidas** que los realitys.
5 Los chicos de One Direction son más **guapos/guapas** que Bart Simpson.

2 **Rewrite the sentences in Exercise 1 to give the opposite meaning.**

1 Los concursos son más emocionantes que las noticias deportivas.
2 ....
3 ....
4 ....
5 ....

3a **Do the quiz to see if you could be a participant in a Spanish reality television show.**

b **Look at the results. On a separate piece of paper, translate into English the one that applies to you.**

¿Te gustaría participar en un reality? ¿Eres simpático y sociable? ¿Puedes vivir sin tu móvil? Contesta a las preguntas.

1 ¿Qué tipo de música escuchas?
a No me gusta la música.
b Me encanta el heavy metal.
c Escucho de todo.

2 ¿Cuál es tu opinión sobre los realitys?
a Los realitys son más aburridos que las telenovelas.
b Los realitys son menos emocionantes que los programas de deportes.
c Los realitys son más interesantes que los concursos.

3 ¿Es posible vivir sin tu móvil?
a Es imposible.
b Es difícil porque mando SMS a mis amigos todos los días.
c Es difícil, pero no es imposible.

4 ¿Qué hiciste ayer?
a Bailé en mi cuarto y jugué a un video juego.
b No hice nada.
c Salí con mis amigos, jugué al fútbol y vi una película.

Si la mayoría de tus respuestas son **a** – estás mucho tiempo en tu cuarto y no te gustan los realitys. ¡Qué tímido/a!
Si la mayoría de tus respuestas son **b** – te encanta hablar con tus amigos/as, pero no te gusta nada vivir sin tu móvil. ¡Mandar SMS es guay!
Si la mayoría de tus respuestas son **c** – ¡Felicidades! Estás listo para participar en un reality. Eres simpático/a, sociable y te gusta conocer a gente nueva.

1 Read the text and underline all the verbs.

Ayer por la tarde fui con mis amigos al parque. Jugué al tenis y luego monté en bici. Luego fui a casa. Hice mis deberes y chateé con mis amigos en el móvil. Un poco más tarde comí tortilla y después vi una película muy divertida en la tele.

2 Complete the sentences with the correct form of the verb in brackets.

1 Adele es una cantante estupenda que vive .... en Londres. **(vivir)**

2 El año pasado .... en un concurso y gané un premio. **(cantar)**

3 .... de todo, pero me gusta mucho el jazz y el R'n'B. **(escuchar)**

4 ¿Y tú? ¿Qué tipo de música ....? **(escuchar)**

5 Por la tarde normalmente veo la tele, pero a veces .... un libro. **(leer)**

6 Ayer por la tarde .... una película genial. **(ver)**

7 El sábado pasado hice mis deberes y luego .... con mis amigos. **(salir)**

8 En mi cumpleaños fui a un restaurante español y .... paella. **(comer)**

Gramática

Present or past?

- Look at the time expressions.

Present	**Past**
normalmente	**el año pasado, ayer**

- Look at the verb endings:

Present	**Past**
monto	**monté**
salgo	**salí**

3 Translate the following text into English.

Tengo un amigo que se llama Pepe. Es simpático y divertido. Vive en Sevilla. Su pasión es la música. Escucha de todo, pero su cantante favorito es Jay Z. También le gusta el fútbol. Su programa de televisión favorito es *Sportmanía*. No hablamos todos los días, pero nos mandamos SMS de vez en cuando.

Pepe

....

....

....

....

....

1 **Record your levels for Module 2.**

2 **Look at the level descriptors on pages 56–57 and set your targets for Module 3.**

3 **Fill in what you need to do to achieve these targets.**

Listening	I have reached Level _____ in **Listening**. In Module 3, I want to reach Level _____. I need to ____________________ ____________________ ____________________ ____________________
Speaking ¡Hola!	I have reached Level _____ in **Speaking**. In Module 3, I want to reach Level _____. I need to ____________________ ____________________ ____________________ ____________________
Reading	I have reached Level _____ in **Reading**. In Module 3, I want to reach Level _____. I need to ____________________ ____________________ ____________________ ____________________
Writing	I have reached Level _____ in **Writing**. In Module 3, I want to reach Level _____. I need to ____________________ ____________________ ____________________ ____________________

¿Qué haces con tu móvil? What do you do with your mobile?

Chateo con mis amigos.	I chat with my friends.	**Juego.**	I play.
Comparto mis vídeos favoritos.	I share my favourite videos.	**Leo mis SMS.**	I read my texts.
Descargo melodías o aplicaciones.	I download ringtones or apps.	**Mando SMS.**	I send texts.
Hablo por Skype.	I talk on Skype.	**Saco fotos.**	I take photos.
		Veo vídeos o películas.	I watch videos or films.

¿Con qué frecuencia? How often?

todos los días	every day	**a veces**	sometimes
dos o tres veces a la semana	two or three times a week	**de vez en cuando**	from time to time
		nunca	never

¿Qué tipo de música te gusta? What type of music do you like?

el rap	rap	**¿Qué tipo de música escuchas?**	What type of music do you listen to?
el R'n'B	R'n'B	**Escucho rap.**	I listen to rap.
el rock	rock	**Escucho la música de...**	I listen to ...'s music.
la música clásica	classical music	**Escucho de todo.**	I listen to everything.
la música electrónica	electronic music		
la música pop	pop music		

Opiniones Opinions

Me gusta (mucho)...	I like... (very much)	**¿Te gusta la música de...?**	Do you like...'s music?
Me encanta...	I love...	**Me gusta la música de...**	I like...'s music.
No me gusta (nada)...	I don't like... (at all)	**mi canción favorita**	my favourite song
la letra	the lyrics	**mi cantante favorito/a**	my favourite singer
la melodía	the tune	**mi grupo favorito**	my favourite group
el ritmo	the rhythm	**En mi opinión...**	In my opinion...
porque es guay/triste/horrible	because it is cool/sad/terrible		

Me gustan las comedias I like comedies

un programa de música	a music programme	**una telenovela**	a soap opera
un programa de deportes	a sports programme	**el telediario**	the news
		más... que...	more... than...
un concurso	a game show	**divertido/a**	funny
un documental	a documentary	**informativo/a**	informative
un reality	a reality show	**interesante**	interesting
una comedia	a comedy	**aburrido/a**	boring
una serie policíaca	a police series	**emocionante**	exciting

¿Qué hiciste ayer? What did you do yesterday?

Bailé en mi cuarto.	I danced in my room.
Fui al cine.	I went to the cinema.
Hablé por Skype.	I talked on Skype.
Hice gimnasia.	I did gymnastics.
Hice kárate.	I did karate.
Jugué en línea con mis amigos/as.	I played online with my friends.
Jugué tres horas.	I played for three hours.
Monté en bici.	I rode my bike.
Vi una película.	I watched a film.
Salí con mis amigos/as.	I went out with my friends.
No hice los deberes.	I didn't do my homework.
ayer	yesterday
luego	later, then
por la mañana	in the morning
por la tarde	in the afternoon
un poco más tarde	a bit later

Palabras muy frecuentes High-frequency words

así que	so (that)
más... que...	more... than...
mi/mis	my
su/sus	his/her
normalmente	normally
no	no/not
nunca	never
o	or
porque	because
también	also, too
y	and

¿Qué te gusta comer? (pages 52–53)

1 **Read the two forum entries and complete the first two rows of the table below with the correct number of ticks and crosses.**

Me gusta la carne. Me encanta el pescado y también me gusta mucho el marisco, pero odio las verduras. **Vicente**

Me encantan las hamburguesas. También me gustan los huevos fritos. ¡Qué ricos! No me gusta la fruta, prefiero los caramelos. **Teresa**

prefiero/me gusta(n)	✓
me gusta(n) mucho	✓✓
me encanta(n)	✓✓✓
no me gusta(n)	✗
no me gusta(n) nada	✗✗
odio	✗✗✗

	(hamburger)	(steak)	(fish)	(seafood)	(cheese)	(fruit)	(fried egg)	(vegetables)	(sweets)
Vicente									
Teresa									
Yolanda	×××		✓		✓✓		✓	✓✓✓	

2 **See what Yolanda likes and dislikes in the table above and read her blog below. Fill in the gaps with the correct items of food.**

Odio las **1** hamburguesas ...., prefiero el **2** .... y me gusta mucho el **3** .... También me gustan los **4** .... y me encantan las **5** ....

Remember:
Me gusta la ensalada. (singular)
Me gustan las hamburguesas. (plural)
Remember also to include the article:
Me gusta el queso.
Me gustan las verduras.

3 **Write your own blog saying what food you like or dislike. Use the blogs in Exercises 1 and 2 to help you.**

For example: Me gusta el pescado, pero prefiero la carne. Me encantan las verduras, pero odio la fruta y no me gusta el queso.

Me gusta(n)..

....

....

¿Qué desayunas? (pages 54–55)

1 **Unjumble the following sentences and write them by the correct picture.**

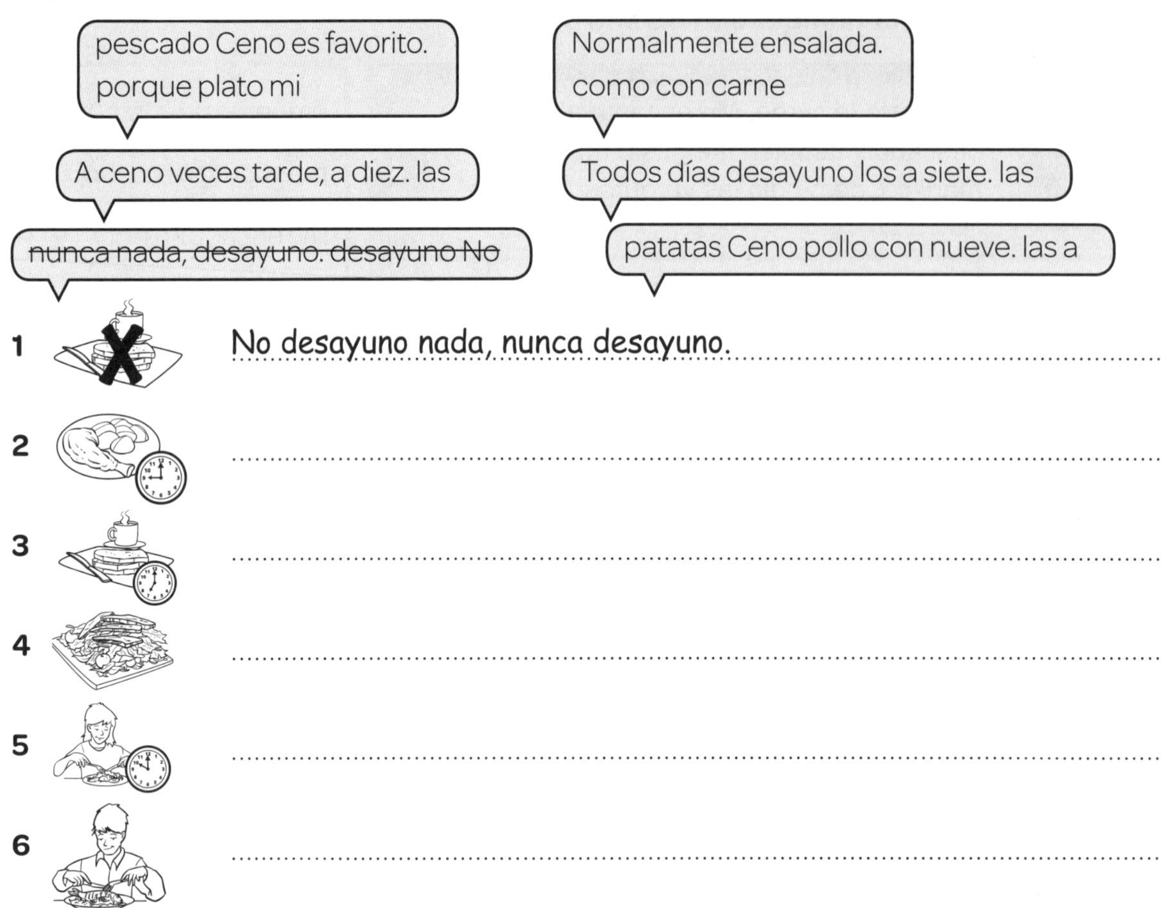

2 **Read about Anita's eating habits and write the correct word from the box.**

como	**prefiero**	**nunca**	**a veces**	~~**desayuno**~~	**ceno**	**carne**	**gusta**

Normalmente **1** desayuno .... a las siete y desayuno cereales. **2** .... bebo té o café porque **3** .... zumo de fruta. **4** .... a la una y media y **5** .... como una pizza con ensalada. **6** .... a las ocho con mi familia. Normalmente cenamos **7** .... con verduras. No como pescado porque no me **8** .... nada.

3 **On a separate piece of paper, write about your own eating habits, using the prompts below and Exercises 1 and 2 to help you.**

Normalmente...	**Desayuno...**	**A las...**	**Me gusta...**	**Nunca bebo/como...**

¡3! En el restaurante (pages 56–57)

1 Use the code to complete the food words.

♠ = a ♣ = e ♥ = i ♦ = o * = u

1 h♣l♠d♦ d♣ v♠♥n♥ll♠ ....
2 ch*l♣t♠s d♣ c♣rdo ....
3 m♠r♥sc♦ ....
4 t♦rt♥ll♠ ♣sp♠ñ♦l♠ ....
5 s♦p♠ ....
6 ♣ns♠l♠d♠ m♥xt♠ ....
7 p♦ll♦ c♦n p♥m♥♣nt♦s ....
8 p♣sc♠d♦ fr♥t♦ ....

2 Now match the words from Exercise 1 to the pictures and write them in the correct place on the menu.

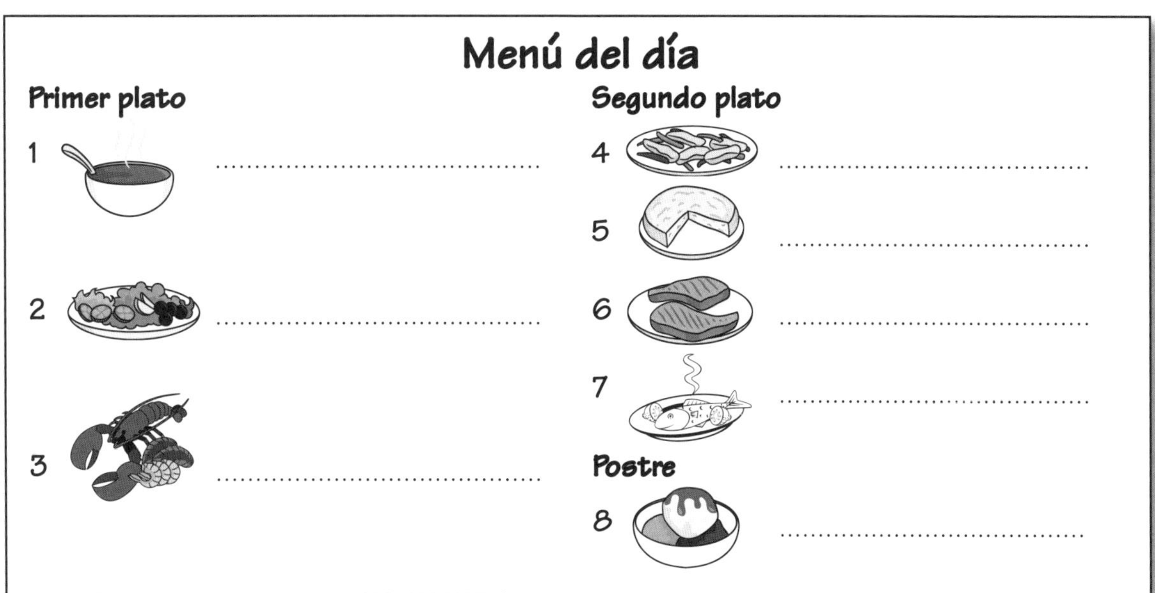

3 Look at the menu you have completed in Exercise 2 and answer the questions.

Buenos días, ¿qué va a tomar?

De primer plato voy a tomar... ....

¿Y de segundo plato?

De segundo plato ....

¿Qué va a tomar de postre?

De postre ....

¿Qué vamos a comprar? (pages 58–59)

1 Find and write out the Spanish expressions in the wordsnakes to match the pictures.

voyacomprarlimonada vaisacomermucho MaríavaatraerunatartA
vasahablarcontusamigos losinvitadosvanabailar vamosacelebrarmicumpleaños

a ....

b ....

c ....

d ....

e ....

f ....

2 Now match the pictures and expressions in Exercise 1 to the English phrases.

1 You are going to eat a lot. ☐
2 We are going to celebrate my birthday. ☐
3 I'm going to buy lemonade. ☐
4 The guests are going to dance. ☐
5 You are going to talk to friends. ☐
6 María is going to bring a cake. ☐

3 Read the letter and complete the invitation in English.

Hola Belén:

Vamos a celebrar el cumpleaños de mi prima el quince de noviembre. La fiesta va a tener lugar en casa de Pablo. Van a venir muchos invitados. Voy a comprar bocadillos. Martín va a traer una tarta de cumpleaños. ¿Vas a traer limonada? Los invitados van a comer mucho. Vamos a hablar y a bailar toda la noche. La fiesta va a ser superguay.

Saludos,

Felipe

Party!

Occasion: ______

Date: ______

Location: ______

Food and drink: ______

______

Activities: ______

5 ¡Fiesta! (pages 60–61)

1 Draw a line to match the Spanish sentences to the English.

1 Esta tarde voy a ver la tele.
2 El año que viene voy a hacer una fiesta.
3 La semana pasada comí tarta.
4 Normalmente los fines de semana juego a los videojuegos.
5 El sábado pasado fui a casa de mi primo.
6 El fin de semana que viene voy a bailar.
7 Generalmente no salgo mucho.

a Last week I ate (a piece of) cake.
b Generally I don't go out much.
c Next year I'm going to have a party.
d Next weekend I'm going to dance.
e This afternoon I'm going to watch television.
f Last Saturday I went to my cousin's house.
g Normally at weekends I play computer games.

2 Read the Spanish sentences in Exercise 1 again, and write the numbers in the table according to whether each sentence is in the past, present or future.

Remember how to spot the different tenses:
Look for time expressions, e.g. **normalmente, el sábado pasado, esta tarde.**
Look at the verbs:

Present	Past	Future
como	comí	voy a comer

Past	Present	Future
		1

3 Translate these sentences into English.

1 Esta tarde voy a comer tarta.

....

2 El sábado pasado jugué a los videojuegos.

....

3 Normalmente voy a casa de mi amigo.

....

4 La semana pasada fui al cine con mi familia.

....

5 Más tarde voy a jugar al fútbol en el parque.

....

6 Generalmente veo la televisión por la tarde.

....

1 **Use the words in the box to complete the blog. Then complete the crossword using the same words.**

generalmente fritos como ~~desayuno~~ encantan cenamos zumo nueve leche prefiero tomamos

¡Hola amigos! **Normalmente 1** desayuno .... tostadas, **2** .... de naranja y té con **3** .... Como a las dos. **4** .... de todo, pero prefiero la carne, así que **5** .... como pollo o filete. De postre siempre **6** .... fruta en mi casa. **7** .... beber agua, nunca tomo cola. No me gusta nada. Siempre **8** .... a las **9** .... en mi casa. A veces tomamos huevos **10** .... con arroz y salsa de tomate. Me **11** .... los huevos. **Julio**

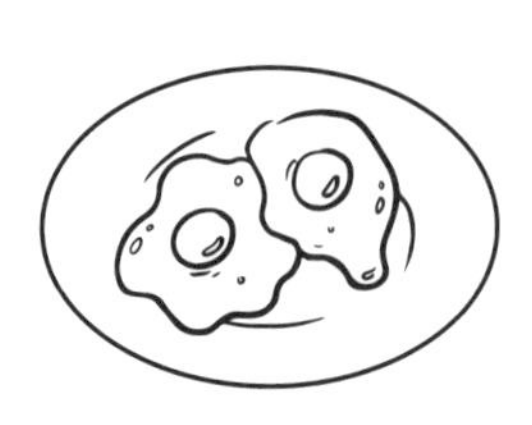

2 **Read Julio's blog in Exercise 1 again and answer the questions in English.**

1 What does Julio normally have for breakfast? ....

2 What time does he have lunch? ....

3 What does he prefer to eat for lunch? ....

4 What do Julio and his family have for dessert? ....

5 What does he never drink? ....

6 What does his family have for dinner sometimes? ....

1 Underline in the two texts the Spanish for the English expressions in the circles.

Pepe

El sábado pasado vi la final de fútbol en la televisión en mi casa con mis amigos. Comimos pollo y helado y bebimos limonada. Después jugamos a los videojuegos. Fue fenomenal.

1 I watched
2 we ate
3 we drank
4 we played
5 it was

Carolina

El domingo que viene vamos a hacer una fiesta mexicana. Va a tener lugar en casa de Raquel, a las seis. Voy a traer guacamole y Enrique va a hacer fajitas. Vamos a bailar mucho y también vamos a cantar karaoke. Va a ser divertido.

1 it is going to take place
2 I'm going to bring
3 he is going to make
4 we are going to dance
5 it's going to be

2 Complete the notes in English using the information in Exercise 1.

Pepe

Type of party: football

When: ....

Where: ....

Food: ....

Activities: ....

....

Carolina

Type of party: ....

When: ....

Where: ....

Food: ....

Activities: ....

....

3 Translate these texts into Spanish. Use the texts in Exercise 1 to help you.

1 Last Sunday I watched television in Antonio's house with my friends. Afterwards we danced and sang.

....

....

2 Next Saturday we are going to have a party. It's going to take place in my house. We are going to eat a lot.

....

....

1 Underline the form of *ir* and the infinitive in each sentence and then rearrange the words to form a correct sentence. Then translate the sentences into English on a separate piece of paper.

Gramática

To express what you are going to do, use the present tense of the verb **ir** + **a** + infinitive, e.g. **voy a bailar**.

1 al Voy jugar fútbol. a ....

....

2 voy hamburguesas. No comer a ....

....

3 ¿Qué tomar a? van ....

4 Juan traer a va tarta. una ....

5 celebrar Vamos cumpleaños. a mi ....

6 Los van invitados bailar. a ....

2 Match the Spanish and English time expressions. Then decide whether they can be used with the preterite, present or near future tenses. Write pret, pres or nf.

1	normalmente	f	a	yesterday	....
2	ayer		b	tomorrow	....
3	este sábado		c	last weekend	....
4	mañana		d	every day	....
5	todos los días		e	last Sunday	....
6	el domingo pasado		f	normally	pres
7	el viernes que viene		g	this Saturday	....
8	el fin de semana pasado		h	next Friday	....

3 Fill in the blanks with the missing words from the box.

hamburguesa deliciosa normalmente mañana restaurante dos nunca fiesta sopa ayer limonada

1 .... como con mis padres. Como a las ....

2 A veces bebo .... bebo cola.

3 .... comí en el instituto. Comí una ....

4 Fui a una .... y comí tarta. ¡Qué ....!

5 .... voy a comer en un ....

6 Voy a comer .... de primer plato.

1 **Record your levels for Module 3.**

2 **Look at the level descriptors on pages 56–57 and set your targets for Module 4.**

3 **Fill in what you need to do to achieve these targets.**

Listening	I have reached Level _____ in **Listening**. In Module 4, I want to reach Level _____. I need to ______________________________
Speaking	I have reached Level _____ in **Speaking**. In Module 4, I want to reach Level _____. I need to ______________________________
Reading	I have reached Level _____ in **Reading**. In Module 4, I want to reach Level _____. I need to ______________________________
Writing	I have reached Level _____ in **Writing**. In Module 4, I want to reach Level _____. I need to ______________________________

¿Qué te gusta comer y beber? What do you like to eat and drink?

¿Qué no te gusta comer/beber?	What don't you like to eat/drink?
Me gusta(n) mucho...	I really like...
Me encanta(n)...	I love...
No me gusta(n) nada...	I don't like... at all.
Odio...	I hate...
Prefiero...	I prefer...
el agua	water
el arroz	rice
la carne	meat
los caramelos	sweets
la fruta	fruit
las hamburguesas	hamburgers
los huevos	eggs
la leche	milk
el marisco	seafood/shellfish
el pescado	fish
el queso	cheese
las verduras	vegetables

¿Qué desayunas? What do you have for breakfast?

Desayuno...	For breakfast I have...
cereales	cereal
churros	churros (sweet fritters)
tostadas	toast
yogur	yogurt
café	coffee
Cola Cao™	Cola Cao (chocolate drink)
té	tea
zumo de naranja	orange juice
No desayuno nada.	I don't have anything for breakfast.
¿Qué comes?	What do you have for lunch?
Como...	I eat ... /For lunch I have...
un bocadillo	a sandwich
¿Qué cenas?	What do you have for dinner?
Ceno...	For dinner I have...
patatas fritas	chips
pollo con ensalada	chicken with salad
¿A qué hora desayunas/ comes/cenas?	At what time do you have breakfast/ lunch/dinner?
Desayuno a las siete.	I have breakfast at 7:00.
Como a las dos.	I have lunch at 14:00.
Ceno a las nueve.	I have dinner at 21:00.

En el restaurante At the restaurant

buenos días	good day, good morning
¿Qué va a tomar (usted)?	What are you (singular) going to have?
¿Qué van a tomar (ustedes)?	What are you (plural) going to have?
¿Y de segundo?	And for main course?
¿Para beber?	To drink?
¿Algo más?	Anything else?
Voy a tomar...	I'll have...
de primer plato	as a starter
de segundo plato	for main course
de postre	for dessert
Tengo hambre.	I am hungry.
Tengo sed.	I am thirsty.
nada más	nothing else
La cuenta, por favor.	The bill, please.
la ensalada mixta	mixed salad
los huevos fritos	fried eggs
la sopa	soup
el pan	bread
las chuletas de cerdo	pork chops
el filete	steak
el pollo con pimientos	chicken with peppers
la tortilla española	Spanish omelette
el helado de chocolate/ fresa/vainilla	chocolate/strawberry/ vanilla ice cream
la tarta de queso	cheesecake
la cola	coke

Una fiesta mexicana — A Mexican party

¿Qué vas a traer/comprar?	What are you going to bring/buy?
Voy a traer...	I'm going to bring...
quesadillas	quesadillas (toasted cheese tortillas)
limonada	lemonade
Voy a comprar...	I am going to buy...
una lechuga	a lettuce
un pimiento verde/rojo	a green/red pepper
un aguacate	an avocado
un kilo de tomates	a kilo of tomatoes
medio kilo de queso	half a kilo of cheese
200 gramos de pollo	200 grammes of chicken
un paquete de tortillas	a packet of tortilla wraps
una botella de limonada	a bottle of lemonade

¿Y tú? ¿Qué opinas? — And you? What do you think?

Pues...	Well...
Depende...	It depends...
No sé...	I don't know...
Eh...	Er...
A ver...	Let's see...
Bueno/Vale...	OK...

Lo siento, pero no entiendo — I'm sorry, but I don't understand

¿Qué significa '...'?	What does '...' mean?
¿Puedes repetir?	Can you repeat that?
¿Puedes hablar más despacio, por favor?	Can you speak more slowly, please?

Palabras muy frecuentes — High-frequency words

a las...	at... o' clock
bastante	quite
el día	day
favorito/a	favourite
la hora	time
el lugar	place
para	for
por ejemplo	for example
pasado/a	last
que viene	next

¿Te gustaría ir al cine? (pages 76–77)

1 Find the places in the wordsnake to match the pictures below.

centrocomercialpolideportivomuseobolerapistadehielocafetería

1 ....

4 ....

2 ....

5 ....

3 ....

6 ....

2 Read the dialogue and write in the missing words from the box.

media
ganas
~~parque~~
compras
luego
delante
acuerdo

¡Hola! ¿Te gustaría ir al **1** parque..............................?

No, no tengo **2** ....

Pues, ¿te gustaría ir de **3** ....?

De **4** ....

¿A qué hora?

A las diez y **5** .... ¿Dónde quedamos?

6 .... *de tu casa.*

Muy bien. ¡Hasta **7** ....!

3 Look at the pictures and write the dialogues. Use the expressions in the boxes to help you.

¿Te gustaría ir...
a la bolera?
al museo?
a la pista de hielo?
al polideportivo?

= Vale./De acuerdo./Muy bien./¡Genial!/Sí, me gustaría mucho.

= ¡Ni hablar!/¡Ni en sueños!/No, no tengo ganas./¡Qué aburrido!

1   ¿Te gustaría ir al museo? ¡Ni hablar!

2 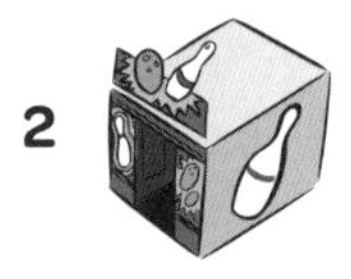  ....

3  ....

4   ....

¡2! Lo siento, no puedo (pages 78–79)

1 Match up the sentences with the pictures by writing the correct letter in the spaces provided.

1 Tengo que pasear al perro.

....

2 Tengo que lavarme el pelo.

....

3 Tengo que ordenar mi dormitorio.

....

4 Tengo que cuidar a mi hermano.

....

5 Tengo que hacer mis deberes.

....

6 Tengo que salir con mis padres.

....

a

b

c

d

e

f

To say you have to do something use **tener + que +** infinitive:
Tengo que salir.
I have to go out.

2 Read the texts. Decide whether the sentences below are true (T) or false (F).

Hola Yolanda, no puedo salir esta tarde porque tengo que estudiar. ¿Puedes salir el domingo? **Rosa**

¿Quieres ir al partido de fútbol mañana? Mi padre no puede ir porque tiene que trabajar. **José**

No quiero ir a la pista de hielo porque tengo que cuidar a mi hermana. ¿Quieres venir a mi casa a ver un DVD? **Ángel**

Lo siento, no quiero ir de compras este fin de semana. No tengo ganas. ¿Quieres ir al cine? **Nuria**

1 Rosa has to go out. ☐
2 Rosa wants to know if Yolanda can go out on Saturday. ☐
3 José's friend can't go to the football match. ☐
4 Ángel has to look after his sister. ☐
5 Ángel asks if his friend wants to come to the park. ☐
6 Nuria doesn't want to go shopping. ☐
7 Nuria wants to watch television. ☐

3 On a separate piece of paper, correct the false sentences in Exercise 2.

¿Cómo te preparas? (pages 80–81)

1 Look at the pictures and complete the sentences using the verbs from the box.

baño
aliso
lavo
maquillo
ducho
visto
~~peino~~
pongo

1. Me <u>peino</u> el pelo.
2. Me .... la cara.
3. Me .... por la mañana.
4. Me ....
5. Me .... gomina en el pelo.
6. Me .... todos los días.
7. Siempre me .... la cara.
8. A veces me .... el pelo.

Gramática

Reflexive verbs describe an action you do to yourself. They include a reflexive pronoun:

me lavo I wash **myself**

2 Read the texts and look at the grid. Who is speaking?

	(brush and comb)	(washing face)	(shower)	(clothes)	(gel)	(bath)	(make-up)	(hair straighteners)
Maite				✓		✓	✓	✓
Blanca	✓		✓	✓	✓			
Diego	✓	✓		✓	✓			

1. Primero me ducho y luego me visto. No me aliso el pelo, pero me peino y me pongo gomina.

   ....

2. Me baño, nunca me ducho. Después me visto. Siempre me aliso el pelo y finalmente me maquillo. ....

3 Now look at the information for the third person in the grid in Exercise 2 and write about his/her daily routine.

....

....

....

¡4! ¿Qué vas a llevar? (pages 82–83)

1 **Unjumble the letters of the words and write them by the correct item of clothing hanging in the wardrobe.**

nu evsitod **nua sceatmai** **anu asdueadr** **nau dafal** **nua roagr**
nous aplaonnets **nosu rvoasque** **nuas tbaso**
unsa tzialplasa ed odretep **suno ztaopsa**

1 ....

2 ....

3 ....

4 ....

5 ....

6 ....

7 ....

8 ....

9 ....

10 ....

....

2 **Read the grammar box. Then complete the texts below with the correct colours according to the colour key.**

Gramática

- Remember that colours need to agree with the item, e.g: **un vestido rojo/ una camiseta amarilla/unos zapatos negros/unas botas blancas.**

Some colour adjectives don't change for masculine or feminine but change in the plural, e.g. **azul → azules, rosa → rosas.**

1 blanco
2 rojo
3 negro
4 azul
5 naranja
6 verde
7 rosa

Este fin de semana voy a ir a un partido de fútbol. Voy a llevar vaqueros **4** azules ...., una sudadera **1** .... y zapatillas de deporte **3** .... También voy a llevar esta gorra **6** ...., que es mi favorita. ¡Va a ser guay! **Javier**

Esta noche voy a ir a un concierto. Voy a llevar una falda **5** ...., una camiseta **7** .... muy bonita y estas botas **2** .... En mi opinión va a ser flipante. **Juanita**

3 **On a separate piece of paper, write what you are going to wear to a concert. Use Javier and Juanita's texts in Exercise 2 to help you.**

5 ¡Hoy partido! (pages 84–85)

1 Look at the pictures and read the texts. Write the appropriate three letters after each person.

a
b
c
d
e
f
g

Junio

h
i

Este sábado voy a ir a casa de mi amiga. Vamos a ver el tenis en la televisión y después voy a jugar al tenis en el parque. **Lola**

c ☐ ☐

Soy **Alicia**. Mi pasión es el baloncesto y juego en un equipo dos o tres veces al mes. Llevo una camiseta azul y pantalones marrones.

☐ ☐ ☐

¡Hola! El domingo pasado fui al estadio Santiago Bernabéu en Madrid y vi un partido de fútbol. Comí una hamburguesa. **Sergio**

☐ ☐ ☐

2 Read the texts in Exercise 1 again. Who says what – Lola (L), Alicia (A) or Sergio (S)?

1 I saw a football match. ....
2 My passion is basketball. ....
3 I wear a blue T-shirt. ....
4 We are going to watch the tennis. ....
5 I went to the stadium. ....
6 I'm going to my friend's house. ....

Remember how to look out for different tenses:

Infinitive	Preterite	Present	Near future
jugar	jugué	juego	voy a jugar

3 Translate these sentences into Spanish. Use the verbs in Exercises 1 and 2 to help you.

1 I play in a team two or three times a month.

....

2 I wear a brown T-shirt and blue shorts.

....

3 Last Saturday I went to a basketball match.

....

4 I saw a tennis match.

....

5 I'm going to go to the stadium.

....

6 I'm going to eat a hamburger.

....

¡SKILLS! El baile de disfraces (pages 86–87)

1 Read the texts and match them to the pictures. Use a dictionary if you need to.

1 El sábado pasado fui a un baile de disfraces. Fui de bruja. Llevé un vestido negro, botas negras y un sombrero negro muy alto. [b]

2 Fui de policía. Llevé uniforme: una gorra, una chaqueta, una falda azul y unos zapatos negros. [ ]

3 Fui de vaquero al baile. Llevé unos vaqueros azules y una camisa. También llevé un sombrero y botas de vaquero. [ ]

4 Llevé un vestido largo y una corona muy bonita. También llevé una capa larga. Fui de princesa al baile de disfraces. [ ]

5 Fui de escocés. Llevé una falda escocesa y una camisa blanca. Llevé calcetines blancos, una gorra y unos zapatos locos. ¡Fue divertido! [ ]

a **b** **c** **d** **e**

2 Read the invitation to the fancy dress ball. Find the meaning of the underlined adjectives in a dictionary.

Te invito a mi baile de disfraces. Tienes que llevar ropa **1** graciosa, por ejemplo, un sombrero **2** exagerado o zapatos **3** gigantescos. Es una buena idea llevar pantalones **4** cortos y medias **5** llamativas. Puedes ir de animal y llevar un leotardo **6** atigrado. ¡Va a ser guay!

1 .... **4** ....

2 .... **5** ....

3 .... **6** ....

3 On a separate sheet of paper, rewrite the invitation in Exercise 2 using different adjectives. Either choose adjectives from the box below or reorder the adjectives in the text.

- When looking up words in the dictionary remember that adjectives will be in the singular masculine form: **corto**.
- Remember that adjectives must agree with the noun they are describing:
  un sombrero alto
  unas medias llamativas

fantástico loco horroroso divino divertido enorme

Te invito a mi baile de disfraces. Tienes que llevar ropa loca, ...

1 **Complete the sentences below using the words in the box.**

puedo	sábado	quieres	gustaría	vaqueros	ir

1 El .... pasado jugué un partido.

2 ¿Te .... ir al cine?

3 Mañana voy a .... al teatro.

4 Siempre llevo unos .... azules.

5 ¿.............................. ir a la bolera?

6 Lo siento, no ....

2 **Pair up the questions with the answers.**

1 ¿Quieres ir a la bolera esta tarde? [d]

2 ¿Te gustaría ir de compras mañana? [ ]

3 ¿A qué hora quedamos? [ ]

4 ¿Dónde quedamos? [ ]

5 ¿Cómo te preparas para salir? [ ]

6 ¿Qué vas a llevar a la bolera? [ ]

a Sí, me gustaría mucho.

b Voy a llevar unos pantalones y una camisa.

c A las diez y media.

d No puedo, esta tarde tengo que ordenar mi dormitorio.

e Me baño y me peino.

f Delante de la cafetería.

3 **Now write your own answers to the questions in Exercise 2.**

1 ....

2 ....

3 ....

4 ....

5 ....

6 ....

1 **Read the texts and decide who says what, Ramón, Carolina, Carlos, Anita or Pepe?**

1 Today is Saturday.

Ramón ....

2 It's going to be great!

....

3 I can't go out next Saturday.

....

4 I'm going to buy some trousers.

....

5 I have a shower and get dressed.

....

6 I'm going to wear a red dress.

....

Hoy es sábado y salgo con mis amigos, primero me ducho y luego me visto. El sábado que viene voy a ir a un partido de baloncesto con mi padre. **Ramón**

Normalmente, los sábados voy de compras y llevo una falda y un jersey. Pero esta tarde voy a ir a una fiesta y voy a llevar un vestido rojo. **Carolina**

El fin de semana que viene voy a salir con mis amigos. ¡Va a ser guay! Pero hoy hago los deberes. Tengo que estudiar. No tengo ganas. **Carlos**

Estoy en la fiesta de cumpleaños de mi hermana, pero el sábado que viene no puedo salir porque voy a hacer los deberes. ¡Qué rollo! **Anita**

Hoy juego al baloncesto. El baloncesto es mi pasión. Mañana voy a ir de compras. Voy a comprar unos pantalones. **Pepe**

2 **Read the texts in Exercise 1 again. Write the names in the grid below according to who is doing or is going to do each activity.**

Present			Ramón		
Future	Ramón				

3 **On a separate piece of paper, translate these sentences into English.**

1 Primero me baño y luego me peino.

2 ¿Te gustaría ir de compras?

3 Tengo que cuidar a mi hermano.

4 ¿Puedes salir el viernes?

5 Normalmente llevo unas zapatillas de deporte.

6 En mi opinión, va a ser guay.

1 **Look at the pictures and use the infinitives in the box to complete the sentences below, then write the meaning of *querer* or *poder* inside the brackets.**

jugar ~~ir~~ hacer ver bailar llevar

Gramática

Poder and **querer** are followed by an infinitive.
No puedo salir. I can't go out.
Quiero ir al cine. I want to go to the cinema.

1 (I can't) No puedo ir .... de compras.

2 (............) Podemos .... los deberes.

3 (............) ¿Quieres .... la televisión?

4 (............) José no puede .... al baloncesto hoy.

5 (............) Mis amigos quieren .... camisetas negras.

6 (............) ¿Queréis .... este fin de semana?

2 **Pair up the two parts of the verb and match them to the English translations.**

te ~~me~~ se se nos os

duchas peináis maquillan lava bañamos ~~visto~~

1 I get dressed me visto ....
2 you have a shower ....
3 he washes ....
4 we have a bath ....
5 they put on make up ....
6 you (plural) comb your hair ....

3 **Underline the most suitable verb form and indicate if the sentence is in the preterite (pret), present (pres) or near future (nf) tense.**

Remember how different tenses work:

Infinitive	Preterite	Present	Near future
llevar	llevé	llevo	voy a llevar

1 Normalmente **comí/como/voy a comer** palomitas. [pres]
2 El sábado que viene **jugué/juego/voy a jugar** al baloncesto. [ ]
3 Generalmente **llevé/llevo/voy a llevar** zapatillas de deporte. [ ]
4 Ayer **vi/veo/voy a ver** un partido de fútbol. [ ]
5 El domingo pasado **fui/voy/voy a ir** de compras. [ ]
6 Esta tarde **salí/salgo/voy a salir** con mis amigos. [ ]

1 **Record your levels for Module 4.**

2 **Look at the level descriptors on pages 56–57 and set your targets for Module 5.**

3 **Fill in what you need to do to achieve these targets.**

Listening	I have reached Level ____ in **Listening**. In Module 5, I want to reach Level ____. I need to ________________
Speaking ¡Hola!	I have reached Level ____ in **Speaking**. In Module 5, I want to reach Level ____. I need to ________________
Reading	I have reached Level ____ in **Reading**. In Module 5, I want to reach Level ____. I need to ________________
Writing	I have reached Level ____ in **Writing**. In Module 5, I want to reach Level ____. I need to ________________

¿Te gustaría ir al cine? Would you like to go to the cinema?

¿Te gustaría ir...?	Would you like to go...?	**al parque**	to the park
a la bolera	to the bowling alley	**a la pista de hielo**	to the ice rink
a la cafetería	to the café	**al polideportivo**	to the sports centre
al centro comercial	to the shopping centre	**¿Te gustaría venir a mi casa?**	Would you like to come to my house?
al museo	to the museum		

Reacciones Reactions

De acuerdo.	All right.	**¡Ni hablar!**	No way!
Vale.	OK.	**¡Ni en sueños!**	Not a chance!/Not in your wildest dreams!
Muy bien.	Very good.		
¡Genial!	Great!	**No tengo ganas.**	I don't feel like it.
Sí, me gustaría mucho.	Yes, I'd like that very much.	**¡Qué aburrido!**	How boring!

¿Dónde quedamos? Where do we meet up?

al lado de la bolera	next to the bowling alley
delante de la cafetería	in front of the café
detrás del centro comercial	behind the shopping centre
enfrente del polideportivo	opposite the sports centre
en tu casa	at your house

¿A qué hora? At what time?

a las...	at...	**seis y media**	half past six
seis	six o'clock	**siete menos cuarto**	quarter to seven
seis y cuarto	quarter past six	**siete menos diez**	ten to seven

Lo siento, no puedo I'm sorry, I can't

¿Quieres salir?	Do you want to go out?	**salir con mis padres**	go out with my parents
Tengo que...	I have to...		
cuidar a mi hermano	look after my brother	**No quiero.**	I don't want to.
hacer los deberes	do my homework	**No tengo dinero.**	I don't have any money.
lavarme el pelo	wash my hair		
ordenar mi dormitorio	tidy my room	**No puede salir.**	He/She can't go out.
pasear al perro	walk the dog		

¿Cómo te preparas? How do you get ready?

¿Cómo te preparas cuando sales de fiesta?	How do you get ready when you go to a party?	**Me lavo los dientes.**	I brush my teeth.
		Me visto.	I get dressed.
		Me maquillo.	I put on make-up.
Me baño.	I have a bath.	**Me peino.**	I comb my hair.
Me ducho.	I have a shower.	**Me aliso el pelo.**	I straighten my hair.
Me lavo la cara.	I wash my face.	**Me pongo gomina.**	I put gel on my hair.

¿Qué vas a llevar? What are you going to wear?

¿Qué llevas normalmente los fines de semana?	What do you normally wear at weekends?
Normalmente los fines de semana llevo...	At weekends I normally wear...
una camisa	a shirt
una camiseta	a T-shirt
un jersey	a jumper
una sudadera	a sweatshirt
una falda	a skirt
un vestido	a dress
una gorra	a cap
unos pantalones	some trousers
unos vaqueros	some jeans
unas botas	some boots
unos zapatos	some shoes
unas zapatillas de deporte	some trainers
¿Vas a salir esta noche?	Are you going to go out tonight?
Voy a ir al/a la...	I am going to go to the...
Voy a llevar...	I'm going to wear...

Los colores Colours

amarillo/a	yellow
azul	blue
blanco/a	white
gris	grey
marrón	brown
morado/a	purple
naranja	orange
negro/a	black
rojo/a	red
rosa	pink
verde	green
de muchos colores	multi-coloured

¡No es justo! It's not fair!

Estoy de acuerdo...	I agree...
con tu madre/padre	with your mother/ father
con tus padres	with your parents
contigo	with you
Eres demasiado joven.	You're too young.
En mi opinión, tienes razón.	In my opinion, you're right.
¿Tú qué opinas?	What do you think?

Palabras muy frecuentes High-frequency words

al/a la	to the
del/de la	of the
demasiado/a	too much
demasiados/as	too many
este/esta	this
estos/estas	these
por eso	for this reason
por supuesto	of course
¡Lo pasé fenomenal!	I had a fantastic time!

¿Qué casa prefieres? (pages 100–101)

1 Unjumble the words in the box and write them in the correct spaces.

~~icnoac~~	jdaírn	tidoorrmoi	rateraz	ceodmro	sóanl	rctuoa ed aboñ

1 cocina ....
2 ....
3 ....
4 ....
5 ....
6 ....
7 ....

2 Match the pictures to the texts.

1 Me gusta esta casa en Málaga porque es más grande y más tradicional que la casa en Valencia. También tiene un jardín con piscina. ☐

2 Me encanta esta casa en Valencia porque es más moderna y más bonita que la casa en Málaga. ¡Tiene vistas al mar! ☐

3 Prefiero este piso en Cádiz porque es más cómodo que la casa en Valencia y tiene una terraza maravillosa. ☐

4 Este piso en Nerja es más pequeño que el piso en Cádiz, pero tiene una cocina enorme. Además, es menos antiguo y es más interesante. ☐

5 Yo prefiero esta casa en Granada porque está en la montaña. Es menos fea que las otras y es más antigua. También tiene cinco dormitorios y un salón grande. ☐

a

b

c

d

e

3 On a separate piece of paper, translate these sentences into English.

1 Me gusta esta casa en la montaña porque es más grande y más tradicional que la casa en Valencia.
2 Este piso es menos antiguo y es más interesante.
3 Tiene vistas al mar y un jardín con piscina.
4 Además, está en el centro.

¿Qué se puede hacer en...? (pages 102–103)

1 Using the spider diagram, write a sentence about each picture starting with *Se puede(n)*... .

SE PUEDE(N)
- ir a la playa
- ir al restaurante
- hacer actividades náuticas
- ver la catedral
- ~~hacer senderismo~~
- visitar el castillo
- ir de paseo en bicicleta
- jugar al golf

1 Se puede hacer senderismo.

2 ....

3 ....

4 ....

5 ....

6 ....

7 ....

8 ....

2 Read the following texts and answer the questions.

Me llamo Santiago y vivo en Tarifa. Tarifa está cerca del mar y se puede ir a la playa. En mi opinión, es la playa más hermosa de España porque tiene las vistas más espectaculares. El deporte más popular en Tarifa es el surf. También se puede visitar el castillo y hacer senderismo. Me encanta el pescado de Tarifa, es el más delicioso de España.	Soy Carmen y soy de Valencia. Valencia es la ciudad más interesante de España porque tiene muchas atracciones. Se puede visitar el Museo de las Ciencias. Es el museo más interactivo de Europa. Se puede ir al Oceanogràfic, el acuario más grande de Europa. También se puede ver una ópera en el Palacio de las Artes, el teatro más moderno de Europa.

1 In which town can you...
- **a** visit a science museum? ....
- **b** go surfing? ....
- **c** go walking? ....
- **d** watch an opera? ....

2 Which town has...
- **a** the most spectacular views? ....
- **b** the most delicious fish? ....
- **c** the biggest aquarium? ....
- **d** the most modern theatre? ....

3 On a separate piece of paper, change the underlined parts of the sentences below to write about your own town or city.

<u>Segovia</u> es la ciudad más <u>bonita</u> de <u>España.</u> Se puede <u>visitar el Alcázar</u> y <u>ver la catedral</u>. También se puede <u>ir de compras</u>.

MODULE 5 ¡3! ¿Dónde está? (pages 104–105)

1 Match the instructions to the pictures.

a　c　e　g

b　d　f　h

1 Cruza la plaza. ☐
2 Dobla a la derecha. ☐
3 Dobla a la izquierda. ☐
4 Está a la derecha. ☐
5 Está a la izquierda. ☐
6 Sigue todo recto. ☐
7 Toma la primera a la derecha. ☐
8 Toma la segunda a la izquierda. ☐

2 Read the directions and look at the map. Where do you end up? Write the correct letter in the box.

Gramática

To give instructions we use the imperative. Take the **s** off the **tú** form of the verb:
cruzas → cruza la plaza (cross the square)

1 Dobla a la izquierda y está a la derecha. ☐
2 Toma la segunda a la derecha, sigue todo recto y está enfrente. ☐
3 Dobla a la derecha y luego dobla a la izquierda. ☐
4 Toma la segunda a la derecha y está a la izquierda. ☐
5 Sigue todo recto, cruza la plaza y está a la izquierda. ☐

3 Translate the following conversation into English.

A: ¿Dónde está el castillo?

B: Sigue todo recto y cruza la plaza. Luego toma la primera a la izquierda. El castillo está a la derecha.

....

....

....

1 **Read the text. Then write a caption for each picture using words from the text.**

El año pasado fui a un campamento de verano. ¡Fue genial! Dormimos en tiendas de campaña y todos los días hicimos actividades. El primer día hice senderismo con un grupo de chicos, pero nos perdimos en un bosque. ¡Qué miedo! Un día monté a caballo por primera vez. En mi opinión, es más fácil montar en bici, pero fue muy divertido. Otro día hice escalada por la mañana. Por la tarde fui de pesca y nadé en un río. El último día participé en un concurso de música, pero no gané ningún premio. Lo pasé genial en el campamento, pero el año que viene voy a ir a un campamento deportivo ¡y no voy a montar a caballo! **Luis**

1 ....
....

2 ....
....

3 ....
....

4 ....
....

2 **Read the text in Exercise 1 again. Find the Spanish for the English verbs below. Then write in the box whether each one is in the preterite (pret), present (pres) or near future (nf).**

1 I went .... ☐

2 we slept .... ☐

3 we did .... ☐

4 I swam .... ☐

5 I didn't win .... ☐

6 I'm going to go .... ☐

3 **Read the text in Exercise 1 again. Then answer the questions in English.**

1 What did Luis do last year? ....

2 Where did he sleep? ....

3 What happened on the first day? ....
....

4 What does Luis think about horseriding? ....

5 What did he do on the last day? ....
....

6 What was Luis's overall opinion of the summer camp? ....
....

7 What's he going to do next year? ....

8 What isn't he going to do? ....

1 **Read the details of the properties on the website. Then write the letter beside the descriptions below.**

a Villa Sol, cerca de Málaga
Es una casa grande y moderna con vistas al mar. Tiene seis dormitorios y todos los dormitorios tienen un cuarto de baño. Hay dos cocinas, un comedor y dos salones. La casa tiene una terraza, un jardín y una piscina.

b Piso en el centro de Barcelona
Este piso está en una plaza bonita cerca de la Catedral del Mar. Está en un edificio antiguo y elegante. Tiene dos dormitorios, un cuarto de baño, una cocina comedor y una terraza pequeña, pero muy agradable.

c Casa Roca
Esta casa está en los Pirineos y tiene vistas a las montañas. Es una casa antigua con una cocina, un salón con chimenea, tres dormitorios y un cuarto de baño. Tiene un jardín con barbacoa.

Which property...

1 is on the coast? ☐
2 is in the mountains? ☐
3 is in a city? ☐
4 has en-suite bathrooms for every bedroom? ☐
5 doesn't have a garden? ☐
6 has a swimming pool? ☐
7 has three bedrooms? ☐
8 has a kitchen-diner? ☐

2 **Translate the following sentences into Spanish.**

1 It's a modern house. ....

2 It's near the beach. ....

3 It's got sea views. ....

4 It's got three bedrooms and two bathrooms. ....

....

5 It's got a kitchen, a dining room and a living room. ....

....

6 The house has a small terrace and a garden. ....

....

1 **Complete the advert for holidays in Mallorca using the words in the box.**

bicicleta comer compras náuticas playa senderismo restaurante visitar

¿Qué se puede hacer en Mallorca?

Hay actividades para todos. Se puede ir a la **1** ....
¡Hay playas estupendas! Después se pueden **2** .... monumentos, como el Castillo de Bellver, o la catedral. Para conocer más la isla, se puede hacer
3 .... o ir de paseo en **4** ....
También se puede jugar al golf, ir de **5** .... o hacer actividades
6 .... Para terminar, se puede **7** ....
bien en un **8** .... con vistas al mar.

2 **Read the text in the speech balloons. Then answer each question in Spanish, using expressions from the advertisement about Mallorca in Exercise 1.**

1 I like relaxing in the sun. Can I go to the beach? Are the beaches good?
....
....

2 What interesting buildings are there to see?
....
....

3 How can I explore the island?
....
....

4 What other activities are there?
....
....

5 What's a good way to end the day?
....
....

3 **Using some of the expressions in Exercise 1 to help you, on a separate piece of paper, write a few sentences about what you can see and do in Mallorca.**

1 Circle the correct form of the adjective to complete the comparative sentences.

SKILLS To make comparatives, use: **más/menos** + adjective + **que**. The adjective must agree with the noun: **La catedral es más bonita que el castillo.**

1 El senderismo es menos **aburrido/aburrida** que la pesca.
2 El golf y el tenis son menos **interesante/ interesantes** que el karting.
3 El parque acuático es más **emocionantes/emocionante** que la playa.
4 La comida en Granada es más **rico/rica** que la comida en Barcelona.
5 Normalmente las catedrales son más **antiguos/antiguas** que los estadios.
6 El Retiro es el parque más **famoso/famosa** de Madrid.
7 ¿Cuáles son los parques temáticos más **grande/grandes** de España?
8 Pienso que las playas más **bonitos/bonitas** de España están en Cantabria y Galicia.

2 Give your opinion on the following questions.

Remember to change **tu** (your) to **mi** (my) when you answer questions 3 and 4.

1 ¿Qué deporte es más aburrido, el senderismo o la pesca? ....

....

2 ¿El golf es más o menos emocionante que el karting? ....

....

3 ¿Cuál es el plato más rico de tu país? ....

....

4 ¿Dónde están las playas más bonitas de tu país? ....

....

3 Read the text. On a separate piece of paper, write the phrases in Spanish from the text.

Vivo en Madrid. El año pasado fui a un campamento de verano en Gales. Fue genial. Hice escalada, fui de pesca y monté a caballo. También jugué al rugby y al críquet. Visité Bristol, Bath y Londres. Vi la torre de Londres y el palacio de Buckingham. Comí *fish and chips* y bebí té. Fue un viaje estupendo.

1 I went to a summer camp.
2 It was great.
3 I went climbing.
4 I went fishing and horseriding.
5 I played rugby and cricket.
6 I saw the Tower of London.
7 I ate fish and chips.
8 I drank tea.

Record your levels for Module 5.

Listening	I have reached Level _____ in **Listening**.
Speaking	I have reached Level _____ in **Speaking**.
Reading	I have reached Level _____ in **Reading**.
Writing	I have reached Level _____ in **Writing**.

Look back through your workbook and note down the level you achieved in each skill by the end of each Module.

	Listening	Speaking	Reading	Writing
1 Mis vacaciones				
2 Todo sobre mi vida				
3 ¡A comer!				
4 ¿Qué hacemos?				
5 Operación verano				

You now have a record of your progress in Spanish for the whole year.

¿Qué casa prefieres? Which house do you prefer?

Esta casa es...	This house is...	**moderno/a**	modern
Este piso es...	This flat is...	**pequeño/a**	small
amplio/a	spacious	**La casa/El piso está...**	The house/The flat is...
antiguo/a	old	**cerca de la playa**	near the beach
bonito/a	nice	**en el centro**	in the centre
cómodo/a	comfortable	**en la montaña**	in the mountains
enorme	enormous	**más... que**	more... than
feo/a	ugly	**menos... que**	less... than
grande	big	**Prefiero...**	I prefer...
maravilloso/a	marvellous	**porque**	because

La casa The house

Tiene...	It has...	**una chimenea**	a fireplace
una cocina	a kitchen	**un jacuzzi**	a hot tub
un comedor	a dining room	**un jardín**	a garden
un cuarto de baño	a bathroom	**una piscina**	a swimming pool
un dormitorio	a bedroom	**una terraza**	a balcony, a terrace
un salón	a living room	**vistas al mar**	views of the sea

¿Qué se puede hacer en...? What can you do in...?

Se puede(n)...	You can...	**ir de paseo en bicicleta**	go on a bike ride
hacer senderismo	go hiking	**ir a la playa**	go to the beach
hacer actividades náuticas	do water sports	**ir al restaurante**	go to the restaurant
		jugar al golf	play golf
hacer artes marciales	do martial arts	**jugar al voleibol**	play volleyball
ir a la bolera	go bowling	**jugar al tenis**	play tennis
ir al cine	go to the cinema	**ver la catedral**	see the cathedral
ir de compras	go shopping	**visitar un castillo**	visit a castle

¿Dónde está...? Where is...?

la catedral	the cathedral	**Dobla a la derecha.**	Turn right.
la estación de tren	the railway station	**Dobla a la izquierda.**	Turn left.
el minigolf	the minigolf	**Toma la primera a la derecha.**	Take the first on the right.
el parque acuático	the water park		
el parque de atracciones	the theme park	**Toma la segunda a la izquierda.**	Take the second on the left.
la pista de karting	the go-kart track	**Cruza la plaza.**	Cross the square.
el zoo	the zoo	**Está a la derecha.**	It's on the right.
Sigue todo recto.	Keep straight on.	**Está a la izquierda.**	It's on the left.

Opiniones — Opinions

Me gusta...	I like...	**Me gustaría mucho...**	I would really like...
Me encanta...	I love...	**Me encantaría...**	I would love...

Expresiones de tiempo — Time expressions

ayer	yesterday	**hoy**	today
el fin de semana pasado	last weekend	**mañana**	tomorrow
el verano pasado	last summer	**este fin de semana**	this weekend
el año pasado	last year	**el año que viene**	next year
hace dos años	two years ago	**el verano que viene**	next summer

Palabras muy frecuentes — High-frequency words

bastante	quite	**está**	it is
donde	where	**muy**	very
esta/este	this	**también**	also, too

Level descriptors

Listening

Level 2	I can understand a range of familiar spoken phrases.
Level 3	I can understand the main points of short spoken passages and note people's answers to questions.
Level 4	I can understand the main points of spoken passages and some of the detail.
Level 5	I can understand the main points and opinions in spoken passages about different topics. I can recognise if people are speaking about the future **OR** the past as well as the present.

Speaking

Level 2	I can answer simple questions and use set phrases.
Level 3	I can ask questions and use short phrases to answer questions about myself.
Level 4	I can take part in conversations. I can express my opinions. I can use grammar to change phrases to say something new.
Level 5	I can give short talks, in which I express my opinions. I can take part in conversations giving information, opinions and reasons. I can speak about the future **OR** the past as well as the present.

Level descriptors

Reading

Level 2	I can understand familiar phrases. I can read aloud familiar words and phrases. I can use a vocabulary list to check meanings.
Level 3	I can understand the main points and people's answers to questions in short written texts.
Level 4	I can understand the main points in short texts and some of the detail. Sometimes I can work out the meaning of new words.
Level 5	I can understand the main points and opinions in texts about different topics. I can recognise if the texts are about the future **OR** the past as well as the present.

Writing

Level 2	I can copy short sentences correctly and write some words from memory.
Level 3	I can answer questions about myself. I can write short phrases from memory. I can write short sentences with help.
Level 4	I can write short texts on familiar topics. I can use grammar to change phrases to write something new.
Level 5	I can write short texts on a range of familiar topics. I can write about the future **OR** the past as well as the present.

¡NOTAS!